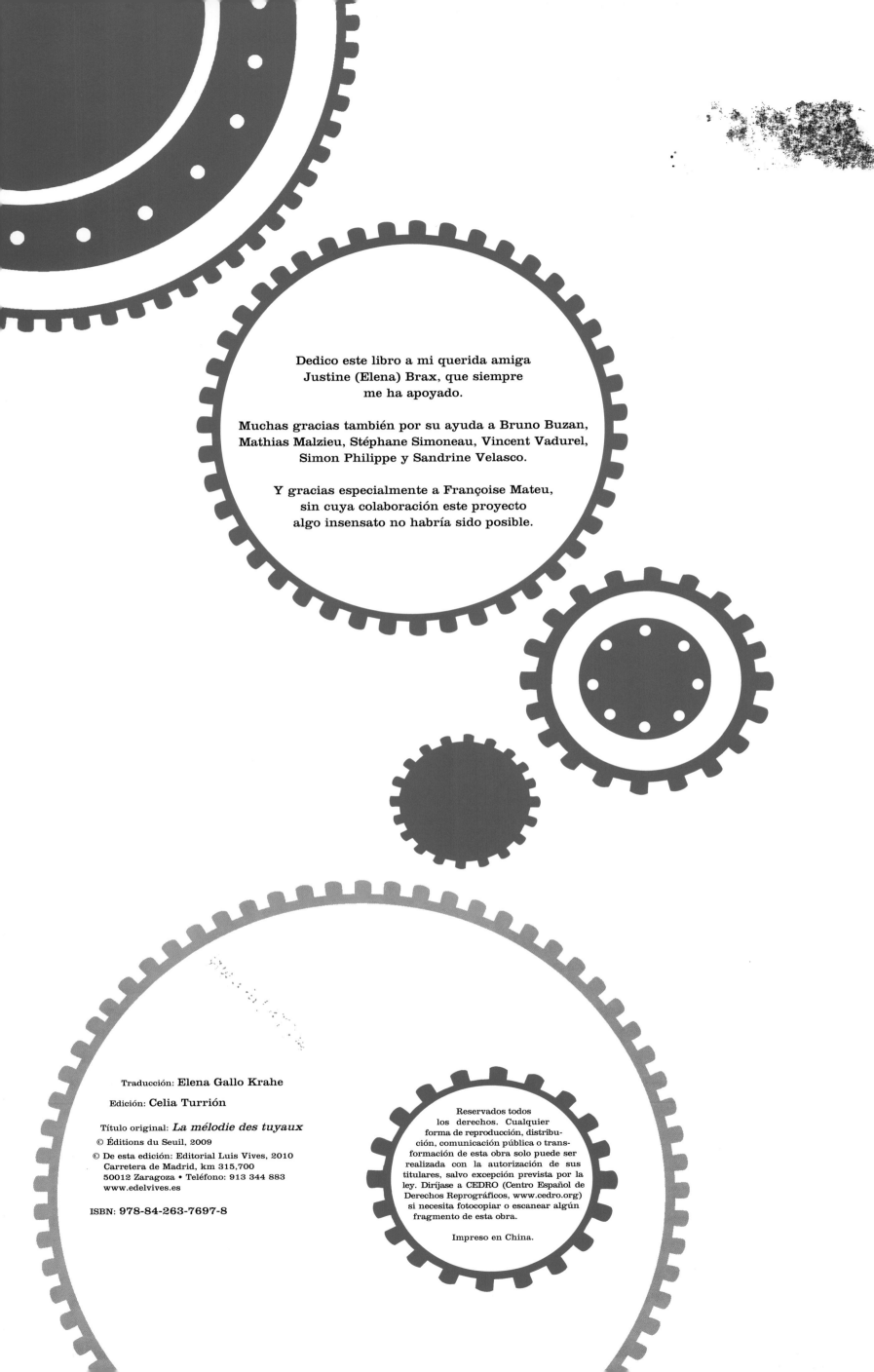

Dedico este libro a mi querida amiga
Justine (Elena) Brax, que siempre
me ha apoyado.

Muchas gracias también por su ayuda a Bruno Buzan,
Mathias Malzieu, Stéphane Simoneau, Vincent Vadurel,
Simon Philippe y Sandrine Velasco.

Y gracias especialmente a Françoise Mateu,
sin cuya colaboración este proyecto
algo insensato no habría sido posible.

Traducción: Elena Gallo Krahe

Edición: Celia Turrión

Título original: *La mélodie des tuyaux*

© Éditions du Seuil, 2009

© De esta edición: Editorial Luis Vives, 2010
Carretera de Madrid, km 315,700
50012 Zaragoza • Teléfono: 913 344 883
www.edelvives.es

ISBN: 978-84-263-7697-8

MELODÍA EN LA CIUDAD

Texto e ilustraciones de

BENJAMIN LACOMBE

EDELVIVES

PRÖLOGO

A través de la ventana empañada y con la mejilla apoyada en la palma de la mano, mirabas cómo caían las gotas contra el tejado de chapa. Entre las tuberías oxidadas y la chimenea humeante de la fábrica se distinguía el movimiento de unas siluetas grises que iban y venían.

Tenías trece años y sabías que, al terminar el curso, acabarías allí, igual que habían hecho tus padres antes que tú, e igual que todos aquellos que no habían sido lo suficientemente inteligentes para huir de aquella maldita ciudad.

«¡**B**um, bum, bum!». La fábrica funcionaba a toda máquina en el centro de la ciudad. «¡Tic, tic, tic!», hacía el tornillo que Alejandro golpeaba contra el cristal al ritmo de los chirridos del acero. Con dedos relampagueantes recorría los bordes de la ventana para hacer cantar la madera, el cristal y el hierro. Tamborileaba con tanta velocidad que solo se veían las ondulaciones que formaba el movimiento de los dedos.

De pronto, por la calle mayor, justo debajo de su ventana, llegó una caravana. Las ruedas de los carromatos se esforzaban por no quedar atascadas en el barro. Alejandro siguió con la mirada el cortejo rojo que se dirigía a las afueras de la ciudad. ¿Quiénes serían aquellos visitantes?

—¡Alejandro, date prisa! ¡Vas a llegar tarde! Por tu bien, más vale que te mates a trabajar en el colegio. Nada de ceros hoy, ¿entendido?

Todas las mañanas, la misma cantinela. No es que sus padres fueran malos; tan solo se preocupaban por él. Pero era un fastidio. Alejandro, molesto, tomó un atajo y recorrió la vía del tren hasta el lugar en el que se había instalado la caravana. Se acercó con cautela al campamento. Se sintió atraído por los ruidos de los mazos que golpeaban las estacas, las lonas que se desplegaban, las potentes voces que hablaban distintos idiomas y, sobre todo, las descaradas risotadas.

Alejandro se escondió detrás de un montículo desde el que, maravillado, pudo observar a la compañía. Un hombre increíblemente fuerte y alto que debía de medir por lo menos tres metros, y cuyos brazos eran más gruesos que el propio chico, levantaba enormes vigas, armarios y toneles como si fueran sacos de plumas. Dos mujeres pegadas una a la otra andaban al mismo ritmo y lucían un único vestido, rojo y negro. Más allá, unos hombres muy bajitos practicaban acrobacias. Alejandro no podía creer lo que estaba viendo.

Al cabo de un rato, no habría sabido decir cuánto, la vio salir de su carromato. La niña gitana acompañaba a una mujer muy alta y flaca. Llevaba un pañuelo en la cabeza y un vestido de colores vivos. Tenía una larga melena ondulada que le llegaba hasta la cintura y los ojos más bonitos que Alejandro había visto jamás. Tan hermosos que tuvo que bajar los suyos. Cuando volvió a mirarla, la niña había desparecido. La buscó, pero fue en vano. La luz se estaba yendo; ya no se veía bien, y Alejandro tuvo que volver a casa.

—¿Dónde te habías metido? Ha venido la señorita Dorias diciendo que no has ido al colegio. ¡Gamberro! ¡Vago!
Toda la tarde le estuvieron cayendo regañinas. Pero seguía hipnotizado con el recuerdo de aquellos ruidos, de aquella extraña gente y, sobre todo, de los ojos de la niña. Esa noche Alejandro tardó en dormirse; tenía la mente inundada de una marea de colores.

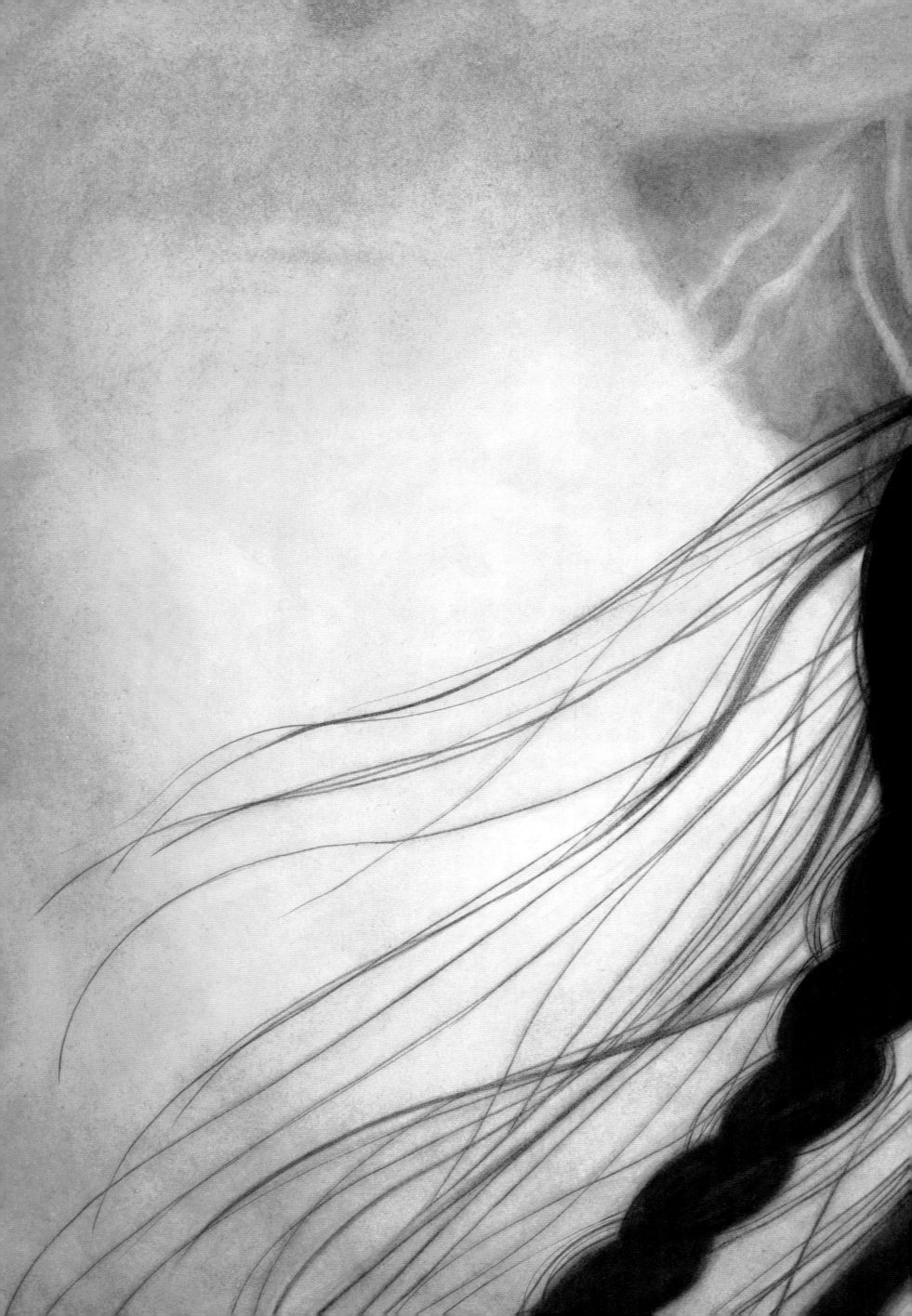

A la mañana siguiente, el padre de Alejandro acompañó a su hijo al colegio. Todos se burlaron un poco del chico, pero las risas no duraron mucho. Solo se hablaba de una cosa: los feriantes que habían llegado a la ciudad. Todo el mundo tenía algo que contar, los rumores se extendían como la pólvora:

—¡Son unos saltimbanquis y unos ladrones! ¡Lo dice mi padre! Hace años conoció a gente como ellos. Te vacían los bolsillos mientras contemplas el espectáculo. E incluso dicen que, de día, cuando nadie los vigila, ¡van a robar las casas y los gallineros!

Luis el gordo, el hijo del alcalde, que se creía más listo que nadie, añadió:

—Mi madre dice que no son gente normal. No son como nosotros. ¡Son monstruos, animales de feria! ¡Algunos tienen hasta cuatro cabezas! Espero que me dejen ir. ¡Cómo nos vamos a reír!

En cuanto sonó el timbre, Alejandro salió corriendo y fue a esconderse detrás del mismo montículo de la otra vez. Casi habían terminado de instalar la feria, y el descampado estaba repleto de carpas. Buscó a la niña gitana en medio de toda aquella agitación pero no la vio por ninguna parte.

Se sobresaltó al oír unas risas que le eran familiares. Al darse la vuelta se topó con la banda de Luis el gordo.

—¡Tú también has venido a ver el espectáculo gratis! ¿Qué has visto? —le gritó Luis el gordo.

—Nada. ¿Qué hacéis aquí? ¡Agachaos, nos van a ver!

—¡Eh, tranquilo, rubiales!

Alejandro se levantó, ofendido. En ese momento vio que una figura se acercaba... ¡Era ella!

MELODÍA EN LA CIUDAD

—¡**V**enga, chicos! ¡Hay que irse! Nos ha descubierto una bruja —exclamó el jefecillo mientras huía con su banda.

Alejandro se tensó. La niña subía despacio el montículo y, mirando a Alejandro con sus ojos negros, le increpó:

—¿Los has traído tú? ¿Por qué rondas por aquí desde ayer?

—¿Qué pasa? Estamos en un país libre.

—¡Eso no te da derecho a espiarnos!

Se miraron en silencio un rato. La niña, con más calma, dijo:

—¿No te doy miedo? Pues entonces, ya que tienes tanta curiosidad, ven conmigo.

Lo cogió de la mano y él se dejó llevar sin decir palabra.

Una vez en la carpa roja y amarilla, Alejandro se sintió cohibido:

—Elena, ¿qué nos traes por aquí? —tronó Hércules, el gigante.

—Un payo que desde ayer anda merodeando —contestó la niña.

Después de dar algunas explicaciones, Elena le presentó a Frieda, la mujer barbuda, a Mary y Anny, las siamesas, a Pipo, Juan y Esteban, los liliputienses que le llegaban por la cintura, y a Felicia, una pobre niña que no tenía ni brazos ni piernas y que se desplazaba montada en un miriñaque metálico con ruedas. Elena le presentó también a su madre, Apolonia:

—Mi madre es vidente. Es ciega, pero sabe leer en el fondo de los corazones. Yo me llamo Elena y soy titiritera.

Los feriantes le hicieron todo tipo de preguntas sobre la ciudad y la fábrica, y mostraban asombro ante todo lo que Alejandro les contaba. Hablaban sin parar, y a Alejandro se le escapaban muchas de las cosas que decían. Tenían un acento extraño. Venían del sur e iban de pueblo en pueblo presentando su espectáculo.

Cada uno se fue por su lado a ensayar, y Alejandro se alejó, atraído por unas voces que cantaban cerca... Era un canto, o más bien un ritmo, que nunca había escuchado. Detrás de un telón, un grupo de hombres vestidos de negro y con el pelo largo cantaban apasionadamente y tocaban sus guitarras. Algunos golpeaban unos curiosos cajones que sujetaban con las piernas. Dos mujeres mayores llevaban aparatosos vestidos de volantes y daban palmas para marcar el ritmo. Una joven bailaba en medio del grupo. Taconeaba muy seria y muy orgullosa, y giraba sobre sí misma con los brazos levantados.

—Bonito, ¿eh? —dijo Elena—. Son mis primos, ¿a que cantan bien? La que baila en medio es mi hermana mayor.

Alejandro no respondió. Estaba fascinado. Los músicos dejaron de tocar.

—Tú, rubito, ¿quieres tocar con nosotros?

—¿Quién, yo? Qué va, si no sé tocar.

—¿Nunca has visto una guitarra?

—No, ni sé tocar.

—Prueba. La guitarra es como una mujer: hay que saber hacerla cantar —le dijo Paco, ofreciéndole la suya.

Primero le enseñaron un acorde, y Alejandro lo tocó, y luego una estrofa, y también la repitió a la perfección.

—Niño, no me tomes el pelo, ¡tú sabes tocar!

—¡Que no, lo juro!

—¡Pues tienes un don! Ven mañana, que hoy ya hemos terminado de ensayar —le propuso Paco riéndose.

Alejandro no se lo podía creer. Se sorprendió de su propio atrevimiento y de lo que estaba oyendo. En el camino de vuelta, no podía dejar de tocarse las yemas doloridas. Pero ¡qué felicidad!

Alejandro volvió con el grupo todos los días. Practicaba hasta que le daban calambres en las manos. Los músicos le enseñaban canciones y él las reproducía casi sin esfuerzo. Elena lo miraba con admiración. «¡Qué guapo es este payo!», pensaba la niña.

Una noche, mientras paseaban, Alejandro le contó por primera vez cosas de su vida y de la fábrica en la que tendría que pasar el resto de sus días. Se iluminaron en el cielo las primeras estrellas.

—Se hace tarde, tengo que volver a casa. ¡Me va a caer una buena!

—Antes de irte, prométeme una cosa: escríbeme una canción y te daré un beso.

—Te lo prometo —murmuró emprendiendo el camino de vuelta.

Cada vez que tocaba, Alejandro dejaba boquiabierta a toda la compañía. Todos querían escuchar al joven prodigio.

—¡Con un rubiales como tú en la función vamos a triunfar seguro!

Una noche, mientras contemplaban la feria desde la colina, Elena se impacientó:

—¿Y mi canción?

—Estoy en ello, no te preocupes.

Alejandro componía su canción en secreto. Paco lo ayudaba a escondidas.

—Pues al menos toca el principio —insistió Elena.

Alejandro tocó los tres primeros acordes y luego se detuvo.

—La cantaré entera en la última función, así no te burlarás durante mucho tiempo de mí. Al día siguiente ya te habrás ido.

Llenos de emoción, al abrigo de miradas extrañas, se dieron su primer beso.

Por fin llegó la gran noche. Por primera vez, Alejandro iba a tocar delante de un público de verdad. El aforo no se había llenado. Los músicos salieron a la pista, seguidos de Alejandro, que estaba pálido de miedo. Cerró los ojos y empezó a tocar con el grupo. Le temblaban las manos. Solo abrió los ojos cuando el público arrancó a aplaudir. Alejandro reía y saludaba, como hacían los demás. Por primera vez, se sintió como en casa. Era bueno en algo, y deseó que aquel momento durara para siempre.

Volvió a casa, con el eco de los aplausos resonando en la cabeza. Sus padres lo estaban esperando.
—¡Gamberro! ¿Qué hacías con esa panda de ladrones de gallinas, con esos gitanos? La madre de Luis nos lo ha contado.
—No son ladrones, son artistas. ¡Y yo quiero ser como ellos!
Su padre lo agarró por el cuello de la camisa y lo llevó a rastras hasta su cuarto.

Todos los días, después de las clases, Alejandro se quedaba en su cuarto; estaba castigado sin salir. Tuvo que faltar a los siguientes ensayos. Elena estaba preocupada y decidió ir a visitarlo.
—Hola, soy Elena. Alejandro ha faltado a los ensayos estos últimos cuatro días y quería saber si se encuentra bien.
Se calló, intimidada por la severa mirada de los padres.
—No está. Y no vuelvas a venir, ¡no se le ha perdido nada con gente como vosotros! —le respondió Jorge.
Luciana, la madre, le cerró la puerta en las narices. Elena se sintió herida. Alzó los ojos y vio a Alejandro detrás de su ventana. El niño dibujó un corazón en el vaho del cristal y sonrió. Elena le devolvió la sonrisa y dio media vuelta.

L legó por fin el día de la última función. Alejandro estaba desesperado.

—Hijo, que te quede claro: nunca volverás allí —le había dicho su padre una y otra vez.

«¡Clac!». En la ventana de su habitación se apoyó una escalera. Alejandro miró hacia abajo; Elena y sus primos le hacían señales para que bajara. Sin pensarlo dos veces, salió por la ventana.

El espectáculo comenzó. Al entrar en la pista, Alejandro vio a sus padres entre el público, pero hizo como si nada. La sala estaba a rebosar. Entonces, olvidándose de todo, de sus padres e incluso de Elena, se dejó invadir por la música para unirse al grupo. Los espectadores reían, bailaban, chascaban los dedos, y aquella ciudad que había estado dormida tanto tiempo por fin cobró vida, bajo la carpa.

El grupo terminó su última canción y se retiró. Era el turno de Alejandro, que tocó, él solo, su canción. Pocos conocían esos ritmos, pero todos escuchaban en silencio. Elena lloraba.

Cuando acabó la canción, el público se puso en pie y estalló en un aplauso ensordecedor. Alejandro buscó a Elena, que se lanzó a sus brazos. Nunca se había sentido tan feliz.

Poco a poco la carpa se fue vaciando, hasta que solo quedaron Jorge y Luciana, que se acercaron despacio. Alejandro tenía miedo de su reacción. Pero sorprendentemente su madre lo estrechó entre sus brazos y su padre le dijo:

—¡Ha sido precioso, hijo mío!

Y, por primera vez, Alejandro pudo leer orgullo en sus ojos.

EPÍLOGO

Desde entonces, has seguido componiendo y tocando preciosas canciones para mí. Has viajado a la luz de las estrellas y has hechizado al mundo con tu música. Me has dado dos preciosos hijos. El segundo, Felipe, ya toca casi tan bien como tú.

MELODÍA EN LA CIUDAD

CANCIONES

1

Como barquito en la mar
que va pegando vaivenes,
como barquito en la mar,
así está mi corazón
cuando te llamo y no vienes.
Como barquito en la mar.

2

Échame, niña bonita,
échame niña bonita
lágrimas en un pañuelo
y las llevaré a Granada
que las engarce un platero,
que las engarce un platero.

3

Duérmete, niño, duerme,
duérmete y calla,
duérmete, lucerito de la mañana.
Nanita, nana, nanita, nana,
duérmete, lucerito de la mañana.

4

Ay, Tarara loca,
mueve la cintura
para los muchachos
de las aceitunas.

Ay Tarara, sí,
ay tarara, no,
ay tarara, niña
de mi corazón.

Lleva mi Tarara
un vestido verde
lleno de volantes
y de cascabeles.

Ay Tarara, sí,
ay tarara, no,
ay tarara, niña
de mi corazón.

Luce mi Tarara
su cola de seda
entre las retamas
y la hierbabuena.

Ay Tarara, sí,
ay tarara, no,
ay tarara, niña
de mi corazón.

5

Por la Sierra Morena vienen bajando.
Vienen bajando unos ojitos negros, ¡olé!
Dolores, unos ojitos negros de contrabando.

Bajando vienen unos ojitos negros, ¡olé!
Dolores, unos ojitos negros que a mi me quieren.

Y eso lo dijo uno que estaba arando, ¡olé!
Dolores, uno que estaba arando en un cortijo.

6

Cuando voy a tu casa por verte, niña.
Por verte, niña,
cuando voy a tu casa,
se me hace cuesta abajo la cuesta arriba.
Y cuando salgo
se me hace cuesta arriba,
se me hace cuesta arriba la cuesta abajo.

Con la sal que derrama una morena.
Una morena,
con la sal que derrama,
se mantiene una rubia semana y media.
Viva el salero, viva la sal graciosa,
viva la sal graciosa de lo moreno.

7

Por la calle abajito va quien yo quiero,
no se le ve la cara con el sombrero,
que se la lleva el río,
que se la lleva el agua,
la cañita y el corcho donde pescaba,
caña con corcho,
corcho con caña,
tú eres la reina de toda España.